D0590720

La ville fabuleuse

Données de catalogage avant publication (Canada)

Major, Henriette, 1933-

  La ville fabuleuse

  (Pour lire avec toi)
  Pour enfants.

  ISBN 2-7625-4474-2

  I. Duranceau, Suzanne II. Titre. III. Collection.
PS3576.A46V54 1988   jC843'.54   C88-096356-5
PS9576.A46V54 1988
PZ23.M34Vi 1988

Conception graphique de la couverture : Martin Dufour
Illustrations : Suzanne Duranceau

Dépôts légaux : 3e trimestre 1988
Bibliothèque nationale du Québec
Bibliothèque nationale du Canada

ISBN : 2-7625-4474-2   Imprimé au Canada

LES ÉDITIONS HÉRITAGE INC.
300, Arran, Saint-Lambert (Québec) J4R 1K5
(514) 672-6710

La ville fabuleuse

HENRIETTE MAJOR

Illustrations:

SUZANNE DURANCEAU

ÉDITIONS HÉRITAGE
MONTRÉAL

CHAPITRE 1

UN ÉTÉ QUI COMMENCE DRÔLEMENT

Assis sur leur balcon, Annik et Marco regardent défiler les rares voitures. Il fait chaud en ce début de vacances. Les deux enfants, d'habitude si actifs, sont ce jour-là étrangement abattus. C'est qu'ils viennent de subir une grosse déception. Leur oncle Horace, le fameux inventeur, a dû partir pour assister à un congrès d'inventeurs au Pôle Nord. Il doit y présenter sa nouvelle invention: une machine à fabriquer des boules de neige. Annik et Marco pensaient bien l'accompagner, mais la famille ne pouvait assumer les coûts du voyage. Les enfants sont donc restés seuls en ville avec leur tante Mélie. La tante, très occupée par sa fabrique de céramique, n'avait pas le temps de regretter le voyage. Mais ses pauvres neveux, se voyant confinés à balconville, voyaient ce début d'été sous des couleurs bien sombres.

Il faut dire que, même sans la perspective d'un voyage, l'absence de l'oncle Horace leur pesait lourd. Quand l'oncle était là, il se passait toujours des choses amusantes . . .

— Tu te rends compte, Annik? Notre oncle est en voyage. Tous nos amis sont partis à la campagne.

— Tandis que nous, Marco, nous restons à la ville comme deux cornichons à nous tourner les pouces sur un balcon. Tu sais ce que j'aurais envie de faire, Marco? J'aurais le goût de faire un long, un très long voyage. Mais où?

— Au Mexique, par exemple, on pourrait visiter les temples des Incas. Ou bien au Texas, le pays des cow-boys . . .

— Moi, Marco, je préférerais les plages des Antilles. J'aimerais aussi me promener dans les curieux jardins japonais ou, mieux encore, dans la forêt tropicale de l'Amazonie.

Marco éclate de rire.

— Ces voyages-là, Annik, on peut toujours les faire en rêve. Quand on est trop jeune et pas assez riche, on voyage dans sa tête.

À cet instant précis, un bruit de freins grinçants

se fait entendre. Un homme portant une casquette à carreaux descend d'une vieille auto rafistolée. Il s'avance vers la maison. Curieux, Annik et Marco se penchent par-dessus la rampe du balcon.

— Est-ce bien ici le domicile d'Horace Dumoulin, le célèbre inventeur? dit l'inconnu.

— Mais oui, c'est ici, répond Annik.

— Je me présente: Ferdinand Beauparleur. J'ai eu l'honneur de travailler à quelques reprises avec M. Horace Dumoulin. Seriez-vous les deux neveux dont il m'a parlé en termes très élogieux?

— Oui! Annik et Marco, c'est nous. Mais qu'est-ce que notre oncle a bien pu vous raconter sur nous?

— Que vous êtes de jeunes débrouillards, pleins d'initiative, toujours prêts à vous rendre utiles.

— Oh, là! là! Il y a certainement quelque chose là-dessous, répondent en choeur les deux enfants.

— Eh bien voilà, reprend M. Beauparleur. Quand votre oncle a appris que j'étais spéléologue ...

— Spéléo . . . quoi? demande Marco.

— Spéléologue. Je fais l'exploration des cavernes. Votre oncle m'a confié un précieux document qui indique l'existence et l'emplacement d'une caverne dans la région du Nouveau-Québec. Ce plan lui a été fourni par une société secrète, la société de l'Étoile fabuleuse. À notre connaissance, personne n'a encore exploré cette caverne. M. Horace Dumoulin m'a donné le plan à la condition expresse que je vous y amène. Qu'en dites-vous?

— Extraordinaire! Sensationnel! s'écrient les deux enfants. Notre oncle Horace a pensé à nous, même s'il est en voyage! Il nous a déjà parlé de l'Étoile fabuleuse . . .

— Est-ce dangereux, cette excursion? s'inquiète Annik.

— Où allons-nous loger, manger, dormir? s'informe Marco, en garçon pratique.

M. Beauparleur a réponse à tout. Il a tout prévu. On se rendra d'abord en avion le plus près possible du lieu de l'expédition. Ensuite, un hélicoptère transportera les voyageurs à l'endroit indiqué sur la carte.

— Il faut préparer nos bagages . . .

— Apportez seulement vos sacs de couchage, dit-il. Je me charge du reste.

— Tu crois, Annik, que tante Mélie nous laissera partir?

— Certainement, répond vivement Annik, puisque c'est l'oncle Horace lui-même qui nous dépêche au Nouveau-Québec.

— Entrez donc, M. Beauparleur. À nous trois, nous réussirons bien à convaincre notre tante.

— Je vous en prie, reprend le spéléologue, appelez-moi Ferdinand.

CHAPITRE 2

LA CAVERNE MYSTÉRIEUSE

Permission accordée, bagages bouclés, les trois voyageurs prennent un avion à destination de Schefferville. De là l'expédition proprement dite se met en branle. Le spéléologue et les deux jeunes équipiers grimpent dans l'hélicoptère réservé pour l'occasion. Entre autres compétences, Ferdinand sait piloter.

Le moteur ronronne. L'aventure commence. Annik et Marco ne se lassent pas des sensations que leur procure ce moyen de transport nouveau pour eux. Au bout d'une demi-heure, un vent d'une extrême violence secoue l'appareil. Annik et Marco se cramponnent à leur siège. M. Beauparleur, en pilote expérimenté, conserve un calme absolu. Les enfants lui font confiance. Peu à peu, l'hélicoptère se stabilise et amorce sa descente. Il s'immobilise au pied d'une haute montagne: elle fait partie de la chaîne des Torngats. Les enfants n'ont jamais vu une montagne aussi élevée: la cime est perdue dans les nuages.

M. Beauparleur déplie la carte remise par l'oncle Horace. Il l'examine attentivement.

— À partir de maintenant, les enfants, il faudra être brave et tenace surtout. Marchons vers le nord. On devrait trouver par là l'entrée du tunnel.

Le vent souffle avec force. Des pierres se détachent de la paroi rocheuse. À plusieurs endroits, la route est barrée par des éboulis; le trio avance péniblement. Après trois heures de marche, le spéléologue s'écrie:

— Un instant! Arrêtons-nous. Selon le plan, la caverne ne devrait pas être bien loin maintenant.

14

Ajustez vos sacs à dos, mettez vos casques de sécurité et gardez vos lampes de secours à la main.

Ils reprennent la marche. L'écho renvoie le bruit de leurs pas.

— Je l'aperçois! Je vois l'entrée de la caverne! s'écrie Annik.

En effet, une sombre crevasse se découpe à flanc de montagne.

— Allumez vos lampes, ordonne le spéléologue.

Tour à tour, les trois compagnons se glissent dans l'ouverture étroite. Les voici dans un endroit humide et sombre.

— Le sol est mou, on dirait de l'éponge, fait observer Annik.

— Vous marchez sur un tapis de mousse et de lichens, une végétation qui pousse ici depuis des millions d'années, dit Ferdinand. Cette caverne est certainement très ancienne. Attention à ta tête, Marco!

Occupé à examiner les mousses, Marco n'a pas

vu l'énorme glaçon de pierre suspendu au-dessus de sa tête. En examinant le plafond, on en aperçoit des centaines aux formes les plus étranges.

— Ce sont des stalactites, explique le spéléologue. Et ceux qui se dressent à partir du sol, ce sont des stalagmites.

— Quel curieux paysage! s'étonne Marco, se faufilant de stalactite en stalagmite.

Il fait de plus en plus noir. L'air devient suffocant. Graduellement, la caverne se rétrécit.

— Il doit y avoir une ouverture tout au fond de la grotte, annonce le spéléologue.

Avançant à tâtons, le trio arrive à une sorte de crevasse dans la paroi du rocher.

— Le plus petit d'entre nous doit essayer de se glisser là-dedans, propose M. Beauparleur.

La plus petite, c'est Annik. Elle ne se sent pas trop trop brave. Ferdinand lui attache une corde à la ceinture.

— Ne crains rien, dit-il. Si tu es en peine, tu tires sur la corde et nous te ramenons.

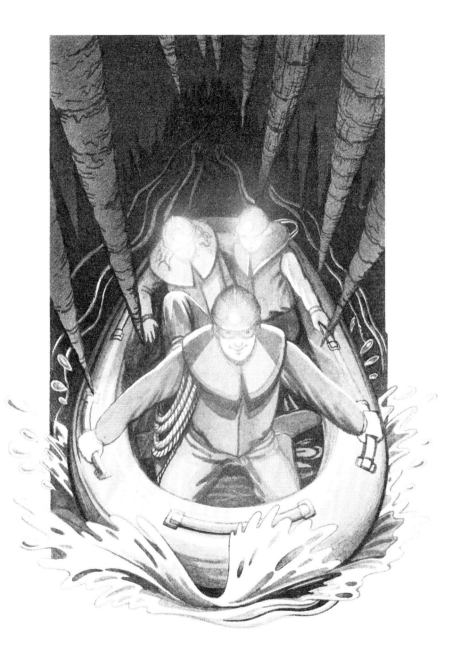

Annik introduit son pied gauche dans l'ouverture; elle passe le bras puis l'autre pied. Elle disparaît de l'autre côté de la paroi.

On n'entend plus qu'une sorte de glouglou venant de la crevasse. Marco s'inquiète. Tout à coup, la voix étouffée d'Annik leur parvient:

— Venez vite! C'est beau ici! C'est fantastique!

Marco et M. Beauparleur commencent à élargir le trou à l'aide de leur piolet.

— Doucement, Marco. Vas-y par petits coups pour ne pas ébranler la paroi. Tu sais, ça peut s'écrouler.

Centimètre par centimètre, le trou s'agrandit. Marco passe le premier, suivi de près par le spéléologue. Les voici dans une immense salle, véritable cathédrale de pierre. Par une ouverture au sommet de la voûte, des rayons lumineux éclairent la caverne. Annik et Marco gambadent en tous sens, histoire de se dégourdir les jambes.

Soudain, des cris lugubres retentissent.

— Hou! Hou! Hou!

— Où es-tu, Ferdinand? s'écrient les enfants affolés.

— Par ici, venez! Ne vous énervez pas. Ce que vous avez entendu, ce sont les hululements de hiboux bien inoffensifs. Ces oiseaux nichent dans le creux des rochers. Ils sont certainement dérangés par notre présence.

Marco et Annik se dirigent du côté d'où vient la voix. Un lac est là devant eux, calme et noir. On dirait de l'eau dormante.

— Qu'est-ce qu'on va faire? demande Marco, toujours pratique. Devrons-nous rebrousser chemin?

— J'ai une surprise pour vous! annonce Ferdinand.

Il tire de son sac à dos un radeau gonflable et une petite pompe. Interloqués, Annik et Marco demandent:

— Pourquoi un radeau?

— Eh bien, répond Ferdinand, je vous invite à une promenade sur le lac. Mais je vous recommande la prudence. Ce lac, si calme en apparence, peut cacher des courants sous-marins.

Les trois explorateurs s'embarquent. Le radeau flotte doucement, agréablement, quand tout à coup, un fort courant les entraîne. Marc, assis à l'avant du canot, voit apparaître une masse sombre.

— Baissez-vous! crie-t-il.

Le radeau est emporté sur une rivière souterraine, formant une sorte de tunnel.

— Qu'y a-t-il au bout? demande Annik.

— Je n'en sais rien, strictement rien. Personne n'a jamais pénétré jusqu'ici. L'oncle Horace n'a pas indiqué cette rivière sur la carte. Laissons-nous porter par le courant, nous verrons bien où il nous mène . . .

Le radeau continue sa dérive. Une vague lueur apparaît puis disparaît. On dirait des néons qui clignotent.

— Préparez-vous. Ce sera bientôt la fin de cette promenade sur l'eau, affirme le spéléologue.

Enfin, ils aperçoivent un morceau de ciel puis une pointe de gazon. Le tunnel débouche sur une ouverture dans le roc.

— Ouf, je ne serai pas fâché de sortir de ce tunnel, dit Marco.

— La rivière nous entraîne vers l'ouverture. Nous serons bientôt dehors.

CHAPITRE 3

LE MUR DE CRISTAL

À la sortie de la caverne obscure, nos amis sont éblouis par la lumière. Ils s'empressent de mettre pied à terre. D'abord, ils ne peuvent rien distinguer autour d'eux. Peu à peu, leurs yeux s'habituent à la lumière; ils se rendent compte qu'ils sont arrivés au beau milieu d'un paysage féerique. Des fleurs multicolores, des chants d'oiseaux, des bourdonnements d'insectes les entourent de partout. Partant de la rivière, un petit sentier grimpant les invite à la découverte. L'air est tiède et parfumé.

— Comment un paysage pareil peut-il exister au milieu de ces montagnes sauvages? se demande Ferdinand.

— Nous sommes pourtant très au nord, observe Annik.

— Je croyais que le nord du Québec était aride et rocheux, ajoute Marco.

— Je ne vois qu'une explication: il existe ici un micro-climat, c'est-à-dire un coin de pays placé de telle façon qu'il subit des influences différentes de celles qui prévalent dans la région ... Avançons, mes amis. J'ai hâte d'en savoir plus long sur cet endroit.

Vivement, les excursionnistes se débarrassent de leurs anoraks et de leurs casques qu'ils cachent dans les buissons.

À la queue leu leu, ils s'engagent dans le sentier. Au bout d'une demi-heure de marche, ils aperçoivent un mur scintillant au loin. Au détour du chemin, un écriteau est posé sur un arbre. Annik, arrivée la première, tente de déchiffrer l'inscription à demi effacée.

— U — to ...

— Utopie, complète Marco, qu'est-ce que c'est que ce machin?

— Utopie! Pays imaginaire, pays idéal, murmure Ferdinand. C'est le nom de ce pays, sans doute.

— Utopie! Utopie! répète Annik en tournant comme une toupie.

— Mes enfants, votre oncle a eu raison de nous envoyer ici. Je crois que nous serons témoins de choses uniques et surprenantes.

Plus ils avancent, plus ils croient rêver. Une musique les accompagne. Au loin, ils aperçoivent des lueurs métalliques, des fumées multicolores.

— Vous êtes sur le chemin de la ville d'Utopie. Utopie, la ville abracadabrante, dit une voix qui semble sortir d'un haut-parleur.

— D'où peut bien venir cette voix métallique?

— Regardez là-haut, je suis perché sur le laurier rose.

— Quoi! dit Marco. Un oiseau qui parle!

En effet, un oiseau blanc au bec orange est installé sur une branche.

— Oiseau je suis et de plus oiseau parleur, reprend la voix étrange. Je suis le Grand Cacatoès, le porte-parole des habitants de la belle ville d'Utopie, cette ville secrète où jamais un être humain n'a encore mis le pied.

— Ça, alors! . . . s'exclament nos amis.

— Comment êtes-vous venus jusqu'ici, illustres visiteurs? demande le Grand Cacatoès.

— Notre oncle Horace Dumoulin fait partie d'une société secrète appelée "L'Étoile fabuleuse"; c'est lui qui nous a donné le plan qui nous a conduits jusqu'ici.

— Oh! alors je comprends tout. Les envoyés de l'Étoile fabuleuse sont les bienvenus ici. Suivez ce sentier jusqu'au bout. La ville s'ouvrira pour vous.

Les explorateurs s'engagent dans la direction indiquée. Au bout d'un instant, ils sont arrêtés par un mur, un mur de verre tellement étincelant qu'on dirait un diamant. Pas une seule porte en vue . . . Comment faire pour pénétrer dans la ville?

Devinant leurs pensées, le Grand Cacatoès leur dit:

— Illustres visiteurs, il n'y a pas de formule magique. Il n'y a qu'une formule logique pour entrer dans la ville d'Utopie.

— Une formule logique, oui, mais laquelle?

Marco, Annik et Ferdinand font les cent pas devant le mur. Impossible d'y grimper, impossible de le briser. Ils cherchent la formule logique.

— J'ai une idée, dit Annik. Marco, tu te rappelles quand tante Hortense chantait des airs d'opéra?

— Bien sûr que je m'en souviens, répond Marco. Tante Hortense, une vraie Castafiore. Mais où veux-tu en venir?

— Te souviens-tu qu'une fois, les vibrations de sa voix ont fait éclater un verre?

— Tu ne veux pas me faire croire, Annik, que . . .

— Pourquoi pas? reprend Ferdinand.

— C'est peut-être là la formule logique. Essayons en choeur. À pleins poumons, les trois amis entonnent un grand air d'opéra.

"Ah, je ris de me voir si belle en ce miroir."

Tous ensemble, ils éclatent d'un rire sonore, retentissant. On entend alors un formidable éclatement de verre. Le mur vient de s'écrouler. Une ville étrange apparaît à leurs yeux. Couvrant le bruit, la voix du Grand Cacatoès s'élève :

— Illustres visiteurs, la ville d'Utopie vous souhaite la bienvenue. Entrez, promenez-vous. Vous êtes ici chez vous. Soyez heureux.

UNE VILLE DE RÊVE

Les explorateurs restent sans voix devant le spectacle qui se présente à leurs yeux. Cette ville ressemble à un mirage. Ils n'osent avancer de peur que ces formes et ces couleurs ne s'évanouissent.

Enfin, timidement, Marco fait un pas en avant. Il prend la main d'Annik et l'entraîne. Ferdinand leur emboîte le pas. Lentement, ils avancent vers ce pays des merveilles. Une large rue s'ouvre devant eux. Ils s'y engagent en regardant de tous les côtés.

Utopie ne ressemble à aucune ville qu'ils connaissent. Ni à New York, ni à Hong Kong et surtout pas à Montréal. Certains édifices ont la forme d'un oeuf, d'autres, d'un trapèze ou d'un point d'interrogation. Les formes courbes ou anguleuses sont de toutes les couleurs: rouge, magenta, orangé, jaune canari, vert acidulé, bleu électrique et bien d'autres encore. Les rues sont bordées d'arbres chargés de fruits aussi colorés que les maisons.

— On peut dire qu'ils sont exotiques, ces fruits. Je n'en ai jamais vu de pareils. Ça me donne faim, dit Annik.

— À moi aussi. Le sandwich mangé avant de prendre l'hélicoptère est rendu dans mes talons. Est-ce qu'on peut cueillir ces beaux fruits?

— Regardez! Quand nous nous approchons, les arbres abaissent leurs branches comme pour nous offrir leurs fruits.

Annik se dit que dans une ville aussi merveilleuse, les fruits sont sûrement bons à manger. Elle en goûte un, Marco aussi, pendant que M. Beauparleur se désaltère à une fontaine dont la fraîcheur et le joli son cristallin l'enchantent. Puis tous les trois se reposent sur un banc à proximité de la fontaine. Ils croient rêver.

— Le banc est pourtant bien réel, dit Annik. Il semble en pierre. Et pourtant, quand je le touche, il est tiède et élastique ...

— Ce fruit est bien réel, reprend Marco. Je le goûte. Il est juteux et savoureux. Mais il a un goût qui ne ressemble à rien que je connais.

30

— Parfois, les rêves peuvent sembler très réels aussi. N'oubliez pas, dit Ferdinand, que le mot utopique signifie imaginaire.

— Oh! on ne pourrait pas rêver tous les trois à la même chose en même temps, fait remarquer Marco.

Décidément, cette ville est très étrange. Il n'y a personne en vue et pourtant une voix se fait entendre. Les trois amis tendent l'oreille. Ils reconnaissent la voix de leur ami le Grand Cacatoès.

— Distingués visiteurs, en tant que comité d'accueil, on m'a chargé de vous offrir des cadeaux. Dites-moi ce qui vous ferait le plus plaisir.

Annik, dévoreuse de contes de fées, se rappelle que dans ces cas-là, il faut faire trois voeux.

— Si j'avais été à la place de la princesse, dit-elle . . .

— Eh bien, dis à l'oiseau ce qui te ferait plaisir, rétorque Marco.

— Je voudrais une flûte enchantée qui joue toute seule, quand j'ai envie d'entendre de la musique.

31

Aussitôt, une flûte d'argent apparaît sur le banc à côté d'Annik. Dès qu'Annik la touche, un air exquis en sort comme d'une boîte à musique.

— Et toi, Marco, quel est ton souhait? demande l'oiseau.

— Moi, je voudrais un crayon qui trace les jolis dessins que j'imagine dans ma tête.

Un crayon se présente entre les doigts de Marco. Il dessine un prince et une princesse.

— Cette princesse te ressemble un peu, Annik, constate Ferdinand. Ça veut dire que Marco pense à toi quand il imagine une princesse.

— C'est fantastique! dit Marco. Jamais mes dessins ne réussissent à ressembler aux personnes que j'ai en tête. Ce crayon est véritablement magique.

— C'est à votre tour de faire un voeu, dit l'oiseau à Ferdinand.

— Moi, je rêve d'une ceinture volante. Ce serait bien utile dans mes expéditions pour franchir de longues distances sans effort.

À ce moment précis, Marco et Annik, médusés, voient leur ami s'envoler, traverser un nuage puis revenir au sol.

— Voler, quelle merveilleuse sensation! Se sentir sans poids, planer au-dessus du paysage, voir le monde de haut! Ah! mes amis, cette ceinture volante, c'est le plus fascinant objet de ma collection.

— Voilà, reprend l'oiseau, vos trois voeux sont exaucés. Ces objets contribueront dorénavant à embellir le monde. La musique, les arts plastiques, la curiosité scientifique, autant de façons de rendre la vie plus agréable, n'est-ce pas?

— Que serait-il arrivé, demande Marco, si nous avions demandé des choses nuisibles ou laides?

— Ces choses n'existent pas en Utopie, répond l'oiseau. Maintenant, je vous invite à une grande fête que la ville d'Utopie m'a chargé de préparer en votre honneur. Si vous voulez bien me suivre . . .

CHAPITRE 5

LA FÊTE EXTRAORDINAIRE

Annik, Marco et Ferdinand se lèvent et se préparent à suivre l'oiseau. À ce moment, un bruit de galop se rapproche. Six magnifiques chevaux gris tout enrubannés s'avancent. Ils tirent une espèce de char garni de guirlandes de fleurs. L'équipage s'arrête devant les trois visiteurs.

— Montez, mes amis, dit l'oiseau. Cet équipage vous conduira à notre salle des fêtes.

Les chevaux piaffent. Sur le char, il y a trois fauteuils à l'allure bizarre. Le Grand Cacatoès est là, perché sur le dossier du fauteuil central. Tout autour, des centaines d'autres oiseaux turlutent, pépient, gazouillent.

— Prenons place, les enfants, suggère Beauparleur.

— Quel somptueux équipage! disent en chœur Annik et Marco.

Les six magnifiques chevaux partent au galop. À tire-d'aile, les oiseaux se placent en formation et escortent le véhicule.

Du haut de leur siège, nos trois amis ont une vue superbe du parcours.

— Regardez au loin, dit Marco. On voit une coupole brillante. Un vrai palais des Mille et Une Nuits.

Après un long et lent trajet jusqu'au bout de cette majestueuse avenue, le cortège pénètre dans la cour d'un palais. Il longe des allées soigneusement entretenues, frôle des massifs de fleurs et des buissons fraîchement taillés. Des fontaines lumineuses jaillissent d'un bassin où des cygnes blancs et noirs se promènent. De temps à autre des poissons volants traversent les jets d'eau. Le spectacle est féerique.

Au fond apparaît un palais avec ses colonnades élancées, ses balcons de fer ornementé et ses vitraux translucides.

— Oh! je crois que nous aurons un comité de réception, dit Ferdinand.

Des paons font la roue et se pavanent près du

portail d'entrée. Un tapis se déroule tout seul devant eux.

— Suivez ce tapis, dit le Cacatoès. Il vous mènera vers la salle des fêtes.

Après avoir traversé un rideau de clochettes tintant sur tous les tons — du grave à l'aigu, les voici dans la salle des fêtes.

— Je me sens un peu gênée, dit Annik. Avec mes jeans et mon tricot de coton, je ne suis pas à mon aise dans ce riche décor.

Un chariot s'approche, tiré par un petit âne roux. Il est rempli de vêtements de gala en satin broché, en soie fine et en velours chatoyant.

— Croyez-vous que nous devrions mettre ces habits? demande Marco. Nous aurons l'air costumés pour une mascarade.

— Après tout, riposte Ferdinand, nous sommes invités à une fête; il faut être à la hauteur de la situation. Choisissons donc un costume de circonstance.

Annik choisit une robe de satin rose brodée de

fleurs. Marco, une redingote de velours bleu nuit garnie de galon argent et Ferdinand se drape dans une cape de taffetas violet, doublée de soie crème, et se coiffe d'un chapeau à large bord orné de plumes d'autruche.

— Comme nous voilà beaux! Nous avons l'air d'une famille noble de l'ancien temps.

— Salut, illustre princesse!

— Mes respects, noble prince!

Après s'être admirés les uns les autres, les amis découvrent une scène au fond de la salle. Le Cacatoès leur dit:

— Si Vos Majestés sérénissimes veulent bien me suivre ... j'ai entendu frapper les trois coups. Le spectacle va commencer.

Le rideau de scène se lève doucement. L'orchestre attaque les premiers accords. Surprise! Les musiciens sont de petits singes! Leurs instruments étonnent aussi: les clarinettes sont des cornes d'antilope; les tambours, des carapaces de tortues géantes; la harpe, une splendide queue de paon et le xylophone, des vertèbres de girafe!

Un rideau couleur d'azur s'ouvre du côté jardin, devant un immense aquarium. Des poissons exotiques exécutent un véritable ballet. Et, comble de raffinement, une pluie de pétales de fleurs tombe du plafond.

— Quel parfum! lance Annik. On ne sait lequel est le plus délicat: celui de la rose ou celui de la violette, celui du muguet ou l'odeur pénétrante du bois de santal . . .

— Entendez-vous un bruit de clochettes? demande Marco.

Du fond de la salle, s'avancent des petites voitures traînées par des chèvres blanches aux cornes dorées. L'une transporte du caviar russe, des champignons farcis, des noix salées, des fromages. Une autre offre des marrons glacés, des tartelettes fondantes, des gâteaux crémeux, des pâtes de fruits... Sur une troisième, Annik repère les bonbons fondants, les caramels mous, les chocolats fourrés.

— Mium! J'avoue que je ne peux résister à toute cette bonne chère, dit Ferdinand.

Sur un dernier chariot se côtoient les vins doux, les cidres mousseux, les limonades, les jus de fruits, l'eau fraîche parfumée à l'essence de rose.

— Et ce n'est pas fini! dit Marco. Regardez ce qui entre par les fenêtres ouvertes!

Des milliers de papillons de toutes grandeurs et de toutes couleurs envahissent la salle. Ils exécutent une danse aux figures compliquées.

— C'est à vous couper le souffle! s'exclame Annik.

— Quel être ingénieux, quel être prodigieux a bien pu enseigner la danse aux oiseaux, aux poissons et aux papillons, se demandent nos amis.

— Je crois que nous ne sommes pas au bout de nos découvertes, murmure Annik.

À la fin, les papillons se mettent en rang et se dirigent vers la sortie.

— Suivons-les, propose Marco. Ils ont l'air de nous inviter.

CHAPITRE 6

L'USINE DES JOUETS

Suivant le vol des papillons, les trois visiteurs sont entraînés dans une rue transversale. Là, un édifice rose bonbon occupe presque tout un côté. Des bruits bizarres s'échappent d'une large porte aux battants ouverts. Les papillons s'engagent dans cette ouverture et nos amis les suivent.

Tout en causant, ils arrivent dans une salle où trône une énorme machine, un vaste assemblage de cadrans, de manivelles, de boulons. Tout est en mouvement. On peut entendre une sorte de ronronnement. Tout cela a l'air de marcher tout seul. Le Grand Cacatoès attend ses invités, perché sur une tringle à rideaux.

— Vous êtes présentement, dit l'oiseau-guide, dans l'usine de jouets. Suivez les flèches. Voici la section des cerfs-volants. Vous pourrez en voir en forme d'oiseaux, de papillons, de libellules, d'avions, de fusées. Nous en avons même en forme de cerfs-volants, et de toutes les couleurs.

— Moi, je rêve d'un cerf-volant géant qui m'emporterait dans le ciel jusqu'à la stratosphère, s'écrie Marco.

— Voilà ton voeu exaucé, Marco, dit Ferdinand. Regarde l'immense cerf-volant qui vient d'atterrir à tes pieds.

— C'est un cadeau de la machine à cerfs-volants, Marco. Mais, continuons la visite. Vous êtes maintenant dans la section des jouets de guerre.

— Des jouets de guerre! Qu'est-ce que ça vient faire dans un pays aussi paisible? demande Ferdinand.

— Ce sont des jouets de guerre très spéciaux, commente l'oiseau. Voyez notre assortiment: fusils à eau, pistolets à fleurs, mitraillettes à bonbons, carabines à bulles de savon.

— Je voudrais bien être le général d'une armée qui emploie des fusils lance-fleurs et des mitraillettes à bonbons!

— Et moi, reprend Annik, je voudrais être colonel ou sergent-major dans une armée pareille.

— Voici maintenant le département des poupées, dit le Grand Cacatoès en les précédant.

— Oh! Grand Cacatoès! Je n'en ai jamais vu autant! Poupées de chiffons, de bois, de porcelaine, de papier, de plastique . . .

— Il y en a de toutes races, des noires, des jaunes, des brunes, des blanches . . .

— Est-ce qu'elles marchent et parlent comme celles de la télévision?

— Non, répond l'oiseau, elles sont inanimées pour permettre aux enfants de faire travailler leur imagination.

— Moi, dit Annik, j'ai toujours rêvé d'avoir une poupée qui me ressemble.

— Tiens, la voilà, la poupée qui te ressemble. Mêmes yeux, même nez, même bouche, mêmes cheveux. Elle a aussi la même taille et les mêmes vêtements. C'est un cadeau de la machine à poupées, dit le Grand Cacatoès.

— Ouf! Quand je vais montrer cette poupée-sosie à mes amies, les petites Barbies pourront se rhabiller!

Ferdinand, lui, se promène dans la section des jouets à musique. Voici la chaise musicale, le cerceau musical, le yo-yo musical, le ballon musical, le bilboquet musical et enfin, le chapeau musical! Ferdinand en coiffe un qui joue la petite cantate de Bach. Il est ravi.

En suivant les flèches, ils arrivent à la direction générale des marionnettes. De là, au rayon des animaux en peluche, une véritable ménagerie. Animaux de la jungle: singes, lions, tigres, girafes; animaux de la ferme: vaches, poules, cochons, chevaux, tous fraternisent, comme dans l'arche de Noé.

Après avoir caressé quelques nounours, ils passent à la section des jeux de construction. Ferdinand, qui en a pourtant vu beaucoup dans sa vie, s'écrie:

— Mais c'est le paradis de la géométrie. Il y a des cubes, des sphères, des triangles, des rectangles; il y en a en bois, en plastique, en caoutchouc, et de toutes les grosseurs et de toutes les couleurs ...

— Il y en a tant, dit Annik, que nous pourrions bâtir une ville.

Marco est passé à la salle des ballons. Une vaste pièce où des ballons de toutes dimensions roulent, flottent, s'entrechoquent.

Nos amis pénètrent ensuite dans une section remplie de livres. Sur les rayons sont alignés les romans, les manuels scolaires, les recueils de poèmes, les bandes dessinées, les magazines et journaux. Plusieurs rayons sont réservés aux dictionnaires et aux livres-jeux. Marco et Annik rejoignent le spéléologue, qui a le nez plongé dans un dictionnaire.

— Je ne vois pas ce qu'un dictionnaire vient faire dans une usine de jouets, dit-il.

— Mais voyons, nous sommes dans le rayon des jeux de mots. Faites une expérience, propose l'oiseau. Fermez les yeux et prenez un dictionnaire au hasard.

Marco en choisit un intitulé: "Dictionnaire du temps qu'il fait". Il l'ouvre et lit:

pluie: bonheur des fleurs assoiffées
nuage: cheveux dénoués du vent
humidité: état du temps qui retient ses larmes
arc-en-ciel: glissade de couleurs
soleil: feu du ciel.

— Quel dictionnaire amusant! s'écrie-t-il. Je voudrais en avoir un comme ça à l'école.

— Mais nous avons encore mieux, continue le Grand Cacatoès. Regardez de ce côté.

— Et à quoi servent ces drôles de cornets? s'enquiert Ferdinand.

— Ce sont des porte-voix. Ils servent à éveiller les associations d'idées. Choisissez un nom et le porte-voix débitera les associations qui vous viennent à l'esprit. Essayez.

Annik choisit le nom "mer". Du porte-voix on entend sortir les mots: bateau, vague, poisson, pêche, plage, sable, coquillage.

Marco réclame le porte-voix à son tour. Il prononce le mot "maison". Chaleur, repas, lit, sommeil, rêve . . . répond le porte-voix.

— Vous voyez le tableau, là devant vous? demande le Cacatoès.

— Oui, répond Marco, j'y vois un chat.

— Appuie sur le bouton au bas du tableau. Observe bien ce qui se passe.

48

Marco regarde intensément. Le chat se transforme peu à peu en château, puis en chameau, en chalumeau, en chalet . . . Chacun des mots commence par cha . . . Et pour finir, le chat danse le cha! cha! cha!

Annik s'approche du tableau suivant qui représente un rat. Elle appuie sur le bouton. Apparaissent successivement un râteau, un rameau, un radeau, un radis, un ragoût . . .

— Dans la ville d'Utopie, les jeux de mots sont très à la mode, dit le Grand Cacatoès. Nous arrivons à la sortie de l'usine des jouets. Vous avez vu nos jouets et nos jeux les plus populaires. Si vous voulez me suivre, je vous ferai visiter un autre endroit des plus fabuleux.

CHAPITRE 7

UN MUSÉE AMUSANT

Le Grand Cacatoès entraîne les trois visiteurs vers une place au milieu de laquelle trône une sorte d'échafaudage de toutes les couleurs: cette construction fait penser à un assemblage d'appareils comme on en trouve sur les terrains de jeux.

— Je devine où tu nous amènes, Grand Cacatoès! Au terrain de jeux! s'écrie Annik.

— Pas du tout! répond le guide. Cette place est la Place des musées. Mais la sculpture qui se trouve au centre peut en effet servir à grimper et à faire des jeux. Mais pour le moment, je vous propose d'entrer dans le musée d'en face, le Musée Amusant.

Les enfants n'osent refuser, mais ils ne sont pas très emballés. Jusqu'ici, les musées qu'ils ont visités étaient plutôt ennuyeux.

— Mais dans la ville d'Utopie, on peut s'attendre à autre chose, observe Marco.

51

Ils entrent donc, curieux de voir ce musée dit amusant.

— Voici la galerie des paysages! annonce le Grand Cacatoès.

Ils aperçoivent un grand tableau représentant un sentier qui s'enfonce dans la forêt. En s'approchant, les enfants sentent des odeurs de sapinage et de sous-bois. Ils entendent des chants d'oiseaux et le souffle du vent dans les feuilles.

— C'est extraordinaire! s'exclame Annik. C'est comme si on y était ...

— Dans le Musée Amusant, tous les tableaux sont vivants, explique le Grand Cacatoès. Voyez ce tableau d'une maison de ferme, venez plus près. Vous entendrez les vaches meugler, les poules caqueter et les enfants chanter. Vous sentirez l'odeur du bon pain que la fermière est en train de cuire. Maintenant, admirez cette scène de ville: vous pouvez entendre les klaxons des autos et les sirènes des voitures de police. Quand on porte attention, on peut ressentir les vibrations d'une ville en pleine activité. On peut même voir les feux de circulation changer et les néons clignoter.

— Y a-t-il une galerie de portraits? demande Ferdinand.

— Certainement! Prenez le couloir de droite, vous ferez la connaissance de nos personnages les plus célèbres.

Quel n'est pas l'étonnement des visiteurs: les personnages n'ont pas de visages humains: ce sont des portraits de robots!

— Ah! je comprends enfin, dit Ferdinand, pourquoi nous n'avons pas vu un seul être humain dans la ville d'Utopie. Vos personnages célèbres sont des robots!

— Voici, explique l'oiseau-guide, Machin I, constructeur des premières maisons d'Utopie, robot désagrégé en 1898. À côté, c'est son successeur, Machin II, à qui on doit la construction du Palais Royal et du Musée des Beaux-Arts. Démantibulé en 1925, il laisse sa succession au célèbre Machin III, qui a créé les principales usines d'Utopie. Alors commence une autre dynastie, celle des Machins-Trucs. Depuis 1970, les robots sont de plus en plus perfectionnés. Machin-Truc I, ce cher grand robot, a donné au Musée la série des robots les plus célèbres, ceux qui ont été les plus utiles à la patrie. Je vous en présente quelques-uns:

Le docteur Lingot a réussi le premier une greffe du coeur sur un robot.

L'honorable Fer-Blanc, auteur du code civil d'Utopie. Ce code se résume ainsi: "Ne fais pas aux autres ce que tu ne veux pas qu'on te fasse."

Voici le distingué Mâche-Fer, champion d'échecs. En 1970, il a mangé plus de rois et de reines que n'importe quel autre robot.

— C'est étourdissant, tous ces noms! déclare Annik. Fer-Blanc, Mâche-Fer, Machin . . .

Le Cacatoès suggère de passer à la salle suivante où sont exposés les objets de la vie courante en Utopie. Et quels objets? L'assiette au beurre, la table de multiplication, la règle de trois, une collection de clés: clé des songes, clé des champs, clé de sol. On y trouve même le plat où mettre les pieds.

— Ces objets existent aussi chez nous, dit M. Beauparleur. Mais c'est la première fois que je les vois dans un musée.

— En Utopie, répond le Cacatoès, tous les objets peuvent devenir des oeuvres d'art. Il suffit de les placer dans le musée.

Sur cette observation pleine de bon sens, l'oiseau se dirige vers le Salon de la sculpture.

— Approchez, illustres visiteurs. Admirez l'éternel triangle, le cercle vicieux, le bonnet carré et la sphère d'influence. Ces sculptures sont uniques au monde. Ce n'est pas tout. Je vous réserve une surprise à la dernière salle, celle des natures mortes.

— Des natures mortes, qu'est-ce que ça veut dire, interroge Marco.

— Ce sont des tableaux qui représentent des objets inanimés, répond M. Beauparleur.

— Voyez celui-ci, suggère l'oiseau. Il est intitulé "Nature morte à la carafe". Vous reconnaissez les fruits autour de la carafe?

— Ça me donne une faim et une soif terribles. On dirait qu'ils sont vrais, dit Annik.

— Servez-vous, chère amie. Ces tableaux sont des natures mortes "vivantes".

56

Annik saisit une pomme qu'elle croque aussitôt.

— Eh bien, propose M. Beauparleur, ce tableau pourra dorénavant s'intituler "Nature morte à la carafe et au coeur de pomme".

— J'aperçois un tableau qui représente la ville d'Utopie, dit Marco.

— Cette fois, il ne s'agit pas d'un tableau, mon ami. C'est la sortie vers l'extérieur. Venez, je vous guiderai vers d'autres coins fascinants de cette ville.

CHAPITRE 8

LE JARDIN D'AGRÉMENT

Derrière le musée, un immense jardin étale ses pelouses et ses massifs de fleurs.

— Vous devez être fatigués, dit le Grand Cacatoès. Reposons-nous dans ce jardin.

— Oh! oui, s'écrie Annik. J'adore les jardins!

Nos amis déambulent dans des allées tapissées de petits cailloux roses, élastiques comme du caoutchouc. Les plates-bandes sont composées de toutes sortes de fleurs dites sauvages qui semblent faire bon ménage entre elles: boutons d'or, marguerites, dents-de-lion. Plus loin, on a regroupé des fleurs plus civilisées: géraniums, pensées, pétunias. Enfin, ils arrivent à une roseraie où des roses de toutes les couleurs s'épanouissent dans l'air embaumé. Marco s'intéresse aux fleurs rares: orchidées, camélias et fleurs de cactus.

Soudain, des centaines d'oiseaux apparaissent dans le jardin. Ils cueillent les pétales de fleurs et les déposent dans des bocaux. Marco est fort intrigué de ce manège.

— Ces oiseaux travaillent pour notre parfumerie, déclare le Grand Cacatoès. Leur rôle est de cueillir les pétales de fleurs avec lesquels on fabriquera des parfums. Maintenant, si vous voulez bien vous installer à l'ombre sur ces bancs couverts de mousse, le spectacle va commencer.

— Quel spectacle? demande Marco.

— La danse des fleurs, annonce le guide.

Aussitôt, les fleurs-ballerines font leur entrée au son de la musique exécutée par les clochettes des campanules et des muguets. Les belles-de-nuit, les lis et les tulipes déploient leurs corolles en forme de tutu et dansent gracieusement sur le gazon.

Puis, des dizaines de fleurs parfumées se regroupent en bouquet: elles exécutent une valse lente qui a pour effet de mêler leurs odeurs. Bientôt, nos amis se sentent tout étourdis par les mouvements et les parfums.

— Ouf! dit Annik. J'ai la tête qui tourne . . .

— J'ai ce qu'il vous faut, dit le Grand Cacatoès.

Il fait un signe, et quelques palmiers nains s'approchent et se mettent à agiter leurs palmes, créant une agréable brise. Annik est vite remise de son malaise.

À l'horizon, le soleil commence à baisser. Le Grand Cacatoès propose:

— Que diriez-vous si je vous conduisais maintenant à votre maison?

— C'est une bonne idée. Toutes ces émotions nous ont fatigués, soupire Ferdinand.

— Notre maison est-elle loin? demande Annik.

— Elle n'est pas très loin, mais vous n'aurez pas besoin de marcher.

Les explorateurs voient s'avancer une espèce de char en forme de nénuphar géant. Ce char est tiré par une autruche.

— Bravo! s'écrie Marco. J'avais vu des autruches

en photo, mais c'est la première fois que j'en vois une vraie.

— Vous pouvez monter dans votre char-nénuphar, dit le Grand Cacatoès. Ne vous inquiétez pas, l'autruche connaît le chemin de votre maison.

Quand l'équipage démarre, une autre surprise attend nos amis: les roues du véhicule déclenchent un petit air comme en jouent les boîtes à musique.

— Décidément, s'écrie Marco, nous sommes vraiment au pays des merveilles!

CHAPITRE 9

LA MAISON FAITE SUR MESURE

La petite promenade en char-nénuphar a ragaillardi nos trois amis. Ils ont hâte de voir l'intérieur d'une maison d'Utopie. L'équipage s'engage dans une rue bordée de grosses boules de toutes les couleurs.

— On se croirait dans un jeu de quilles géant, observe Annik.

L'autruche s'arrête devant l'une des boules de couleur bleu ciel.

— Il faut croire que nous sommes arrivés, dit Marco. Descendons.

Mais une fois descendus, ils sont un peu embêtés.

— Comment faire pour entrer, dit Marco, il n'y a ni porte, ni fenêtre.

Ils s'approchent tout de même. À leur grand étonnement, à mesure qu'ils avancent, une porte coulissante s'entrouvre sur la paroi de la boule géante. Ils entrent, curieux de voir ce qui les attend. Ce qui les frappe d'abord, c'est que tout est rond dans cette maison: les tables, les fauteuils, les tapis. Sur un fauteuil, ils retrouvent leurs anciens vêtements.

Annik, un peu lasse après cette promenade, décide de faire une petite sieste avant le repas. Elle s'allonge sur les coussins, ronds eux aussi.

— Il ne manque plus que de la musique! fait-elle.

Elle appuie sur les boutons fixés sur le rebord de la table. Aussitôt, une musique douce envahit la pièce.

— J'ai envie de regarder la télévision ici, dit Marco. Je suis certain qu'il y a un appareil quelque part.

— Regarde cette⸴boule de cristal, Marco. Je crois que c'est un écran de télévision.

Marco tourne un bouton. Une image apparaît.

— Une partie de baseball! Quelle chance! jubile Marco.

— Moi, je vois une troupe de folkloristes, dit Annik.

— Vous n'y êtes pas du tout, répond Ferdinand, c'est une émission sur les sciences de l'avenir.

— C'est extraordinaire! s'écrie Marco. Chacun de nous voit sur la boule de cristal ce qu'il souhaite y voir. Quelle invention géniale! Finies les disputes à propos du choix d'un programme!

Dans une pièce voisine, nos amis découvrent une sorte de piscine, ronde, bien entendu. Des maillots à leur taille les attendent sur un banc. Ils ne peuvent résister à l'invitation. Comme il fait bon se plonger dans l'eau tiède!

— On se croirait aux Antilles plutôt que dans le Nouveau-Québec, s'exclame Ferdinand.

Après la baignade, c'est l'heure du repas. Bien sûr, la cuisine toute ronde est remplie de boules-réfrigérateurs et de boules-cuisinières. On n'a qu'à s'en approcher pour que des panneaux coulissants révèlent des mets délicieux, chauds ou froids. Chacun peut se composer un menu à son goût.

Après avoir bien mangé, écouté de la musique et regardé la télévision, la fatigue de la journée commence à se faire sentir. Nos amis bâillent et se frottent les yeux. À ce moment, trois hamacs de soie descendent du plafond.

— Comme c'est amusant! s'écrie Annik. J'ai toujours rêvé de dormir dans un hamac.

— Comme c'est chouette! dit Marco. À Utopie, il suffit de désirer quelque chose pour que son souhait s'accomplisse.

Nos amis s'installent confortablement dans leurs hamacs.

— Bonne nuit, murmure Annik.

— Bons rêves... à moins que nous ne rêvions déjà...

CHAPITRE 10

LES ROBOTS

Le soleil se lève à Utopie comme partout ailleurs. Le premier rayon traversant la maison-boule réveille nos trois amis. Dès qu'ils sont levés, une voix se fait entendre:

— Bonne journée. Lorsque vous serez prêts, distingués visiteurs, j'ai un nouvel itinéraire à vous proposer pour aujourd'hui.

— Ah! c'est le Grand Cacatoès qui est dehors, constate Marco. Avec un guide aussi intéressant, on ne risque pas de s'ennuyer!

On prend tout de même le temps de s'offrir un bon petit déjeuner, puis on se prépare à partir.

— En route, les enfants! lance Ferdinand. Tu es prête, Annik?

— Je viens, je viens, répond celle-ci. Juste le temps de prendre quelques fruits pour le goûter.

Le char-nénuphar attend devant la porte. Le Grand Cacatoès est perché sur le bord de la fleur géante.

— Ce matin, déclare-t-il, je vais vous présenter ceux qui sont responsables de la bonne marche de la ville d'Utopie.

— Enfin! se disent les enfants, nous allons peut-être rencontrer des gens . . .

Le char s'arrête devant un édifice en forme de cube, dont les parois argentées luisent au soleil. On entre. Des bruits métalliques emplissent l'espace.

— Distingués visiteurs, dit le Grand Cacatoès, j'ai maintenant le vif plaisir de vous présenter notre collection de robots.

— De vrais robots? Je croyais que ça n'existait que dans les livres et les films.

— Chut! la démonstration va commencer.

Au signal s'amène une procession de robots portant brosses, balais, chiffons et une foule d'objets ménagers.

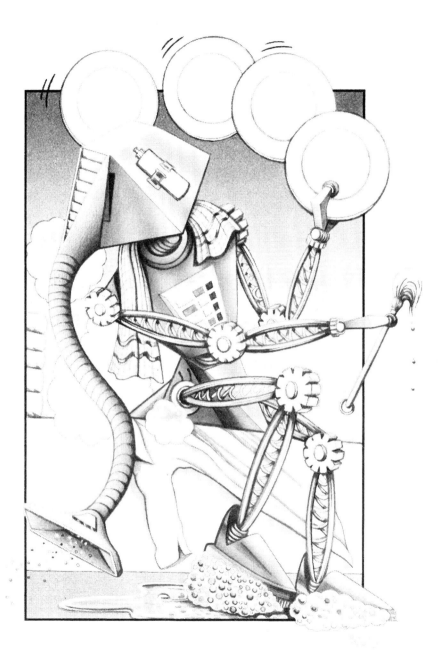

— Voici les robots préposés au nettoyage. Ils peuvent balayer, épousseter, laver la vaisselle, frotter les vitres, récurer les casseroles, ramasser les ordures.

— Pourquoi ont-ils une trompe? demande Annik.

— Elle sert à aspirer la poussière. Vous remarquerez qu'il n'y a pas une seule petite poussière dans cette salle.

— C'est tante Amélie qui aimerait en recevoir un en cadeau!

— Passons maintenant aux robots-jardiniers.

Les robots défilent portant râteaux, sécateurs, fourches, cisailles, arrosoirs.

— Ceux-ci savent bêcher, sarcler, semer, tondre le gazon, repiquer les plantes, ratisser et arroser les jardins.

— Si je n'habitais pas un deuxième étage en ville, soupire Ferdinand, j'aimerais bien avoir un robot-jardinier.

— À présent, dit l'oiseau, les robots-bonnes d'enfants. Ils sont construits pour bercer, caresser, fredonner des chansons, changer les couches, attacher les lacets, donner le biberon, boutonner les vêtements, moucher le nez et soigner les bobos.

— Ah non! proteste Annik. Moi quand j'aurai des enfants, je préfère les soigner moi-même.

— Qui sait? Quand tu auras des enfants, les robots-bonnes d'enfants seront peut-être à la mode, répond Marco.

— Un peu d'attention, s'il vous plaît, réclame le Grand Cacatoès. Voici le corps des robots-policiers. Ils peuvent marcher en rang, siffler, diriger la circulation, courir après les voleurs et donner des contraventions.

— Ce doit être facile de s'en passer dans une ville comme Utopie, dit Marco.

— Derrière les robots-policiers, regardez s'approcher les robots-maîtres d'école, dit le Grand Cacatoès. Ils sont entraînés à lire à haute voix, à écrire au tableau noir, à calculer les points, à donner les devoirs et à les corriger, à questionner les élèves et à taper sur le bureau pour rétablir le calme. Dans le corridor, vous apercevez les robots-artistes. Ils savent peindre, dessiner, sculpter, danser, créer de la musique, réciter des poèmes et inventer des histoires.

— Je n'aime pas beaucoup l'idée des artistes automates, dit Annik.

— Alors que pensez-vous des robots-cuisiniers? Regardez-les en action. Ils confectionnent toutes les bonnes choses à manger en Utopie.

Avec une parfaite synchronisation de mouvements, les robots-cuisiniers peuvent peler les légumes, découper les rôtis, rouler la pâte à tarte, battre la crème, remuer les sauces, surveiller la cuisson et composer des menus.

— C'est tout à fait le robot dont j'ai besoin, dit Ferdinand. Je ne sais même pas faire cuire un oeuf!

— Visiteurs émérites, voici maintenant le modèle de l'année, le robot-secrétaire. Il répond au téléphone, tape à la machine, fait le café, prend des notes. Il invente les meilleures excuses pour justifier les absences du patron.

— Bien des patrons s'en contenteraient, murmure Annik, surtout ceux qui traitent leur secrétaire comme un robot . . .

74

— Voici un modèle unique: le robot-à-faire-du-bruit. Il peut grincer, craquer, chuchoter, grogner, glouglouter, siffler, pétarader, sonner, klaxonner et tambouriner.

En se bouchant les oreilles, Annik demande à quoi sert un robot qui fait tant de bruit.

— Mais à faire apprécier le silence, répond le Cacatoès. On est si bien quand il s'arrête.

— Le robot-couturier taille, faufile, épingle, ajuste, coud, brode, tricote, raccommode, crée de nouveaux modèles, de nouveaux styles selon les époques et les saisons.

— C'est le robot tout indiqué pour toi, Annik.

— Pourquoi? Parce que je suis une fille? Tu sauras que maintenant les hommes sont au moins aussi coquets que les femmes. De nos jours, la mode est faite pour les garçons autant que pour les filles.

— Inutile de vous disputer, les enfants. À la maison, vous êtes tout le temps en jeans.

— C'est vrai, dit Annik.

Marco pense que ce robot représente la fin de la démonstration. Que non! Reste encore le robot-politicien programmé pour faire des discours, serrer des mains, embrasser les bébés et faire des promesses.

Annik demande soudain:

— Qui donc a eu l'idée de tous ces robots?

— C'est le robot-inventeur qui sait dessiner, calculer, imaginer, planifier et donner des ordres.

— Si je comprends bien, dit Marco, c'est le robot-inventeur qui a fabriqué tous les autres robots.

— Non, celui qui les fabrique, c'est le robot-bricoleur. Il peut visser, découper du métal, aiguiser des outils, scier du bois, polir, poinçonner et assembler les circuits électriques.

— Il me vient une question importante, dit Ferdinand. Qui a fabriqué le robot-inventeur et le robot-bricoleur?

— Mais, c'est le grand maître d'Utopie, voyons.

— Ah bon! Et d'où vient le grand maître d'Utopie?

— Distingués visiteurs, vous n'êtes pas encore prêts à recevoir la réponse à cette question. Mais je vous promets que vous l'aurez bientôt.

— Il n'y a pas d'école à Utopie? demande Marco.

— C'est vrai ça, ajoute Annik. J'aimerais bien voir une école.

— Vos désirs seront exaucés, amis visiteurs, suivez-moi.

CHAPITRE 11

L'ÉCOLE MODÈLE

— Inutile de monter dans le char-nénuphar, dit le Grand Cacatoès, l'école est à côté.

Nos amis aperçoivent une série de formes géométriques de toutes les couleurs, empilées les unes sur les autres comme dans un jeu de construction.

— Cette école ne ressemble certainement pas aux nôtres.

— Visitons d'abord, dit Ferdinand, nous tirerons nos conclusions ensuite.

— Si vous voulez vous donner la peine d'entrer. À gauche, c'est la classe de chant de Maître Rossignol. Les oiseaux d'Utopie apprennent à qui le veut à chanter juste, à solfier, à faire des vocalises, à roucouler, à gazouiller. Ils apprennent aussi à ne pas s'égosiller, à ne pas s'époumoner et surtout à ne pas faire de fausses notes.

De la classe de chant, les visiteurs passent à la classe où se donne le cours de danse. Des autruches, des paons, des flamants roses s'exercent à la barre. Madame l'Autruche, maîtresse de ballet, apprend aux futurs danseurs à faire des jetés, des pliés et des ronds de jambe. Elle leur enseigne à valser, à tourbillonner, à sauter, à saluer gracieusement, à ouvrir le bal et à mener le cotillon.

Annik, qui a toujours adoré la danse, se met à exécuter quelques figures de ballet.

Marco la tire par le bras et l'entraîne sur un pas de deux jusqu'à l'autre classe. Ici enseigne M. le Chimpanzé, maître de dessin. Un jeune veau pose devant la classe.

— C'est le modèle pour aujourd'hui, murmure le Grand Cacatoès.

Les trois visiteurs n'osent pas faire de bruit tant les élèves sont concentrés sur leurs dessins.

Après un certain temps, les visiteurs se retirent sur la pointe des pieds. À côté, la classe de sculpture est commencée. Ici, on apprend à tailler le marbre, à ciseler le bois, à modeler la glaise, à manier la gouge.

Une statuette représentant un robot repose sur un socle. D'autres robots essaient de reproduire ce modèle.

— Laissons les artistes à leurs travaux et traversons le couloir vers la classe d'art oratoire. Vous verrez là mes collègues, les perroquets, sous les ordres de mon cousin le Cacatoès Orateur. Ils sont en train d'improviser sur un thème, de discourir, de réciter, de persuader, d'enflammer, d'émouvoir.

— Grand Cacatoès, est-ce une classe spéciale pour les hommes politiques?

— Pas du tout. On apprend ici aussi bien le métier d'annonceur que celui de conférencier. En somme, c'est l'école de l'éloquence où l'on s'initie à l'art de charmer, de convaincre, de communiquer.

En sortant de cette classe, le Grand Cacatoès raconte des anecdotes sur les années qu'il a passées dans cette discipline. Puis il poursuit doucement sa tournée. Un silence remarquable règne dans la classe suivante. C'est la classe d'écriture. Des robots apprennent à transcrire des documents, à consigner des rapports, à rédiger des textes, à signer des paragraphes, à souligner des mots, à effacer des erreurs. On apprend de plus à annoter, à traduire et à raturer. Ici, on consomme beaucoup d'encre et de papier.

— J'espère, dit Ferdinand, qu'on y consomme aussi des idées et pas seulement des mots creux.

— Ne craignez rien, distingué visiteur, nos robots-écrivains sont programmés pour produire des chefs-d'oeuvre de la littérature.

À l'étage supérieur, se déroulent les classes de sciences. Le directeur de laboratoire est un robot-chimiste qui semble un peu magicien. Il est en train de mêler des produits dans un ballon de verre. Des fumées âcres s'échappent du récipient.

— Ouf! on étouffe ici, dit Marco. Ces vapeurs me font un drôle d'effet.

— Excusez-moi, chers amis. J'oubliais que vous n'êtes pas des robots. Je vous conduis dehors où le grand air vous fera du bien.

Dans la cour de l'école, les robots-gymnastes s'entraînent. À les voir courir, sauter, faire la culbute, danser à la corde, saisir la perche, s'étirer, s'élancer, on dirait qu'ils se préparent pour les Jeux olympiques.

Annik ne peut s'empêcher d'applaudir. Les robots ne saluent pas. Ce n'est pas dans leur programme.

— Que diriez-vous maintenant d'une séance de cinéma?

Cette suggestion est accueillie avec enthousiasme.

CHAPITRE 12

UN CINÉMA ÉPOUSTOUFLANT

Annik, Mario et Ferdinand arrivent devant le cinéma, un bel édifice en forme de cône.

— Je vous préviens, les amis, dit le Grand Cacatoès, les films d'Utopie sont particuliers. Ils se déroulent en trois dimensions.

— En trois dimensions! Vous voulez dire que les objets et personnages ne se présentent pas à plat sur l'écran?

— C'est exact. Les personnages de notre cinéma évoluent dans un espace réel comme au théâtre, mais ils sont composés de lumière, comme au cinéma.

— Il faudra le voir pour le croire, dit Marco, incrédule. On commence par un film de cow-boys?

Alors dans un nuage de poussière et les bruits de sabots, un cheval fonce droit sur les spectateurs.

— Attention, Annik! Le cheval fonce sur toi! Ouf! il s'éloigne dans la prairie. Voilà que le cowboy lance son lasso! Ça y est, il attrape le veau! Le voilà qui fonce de nouveau sur nous! Attention!

— Il ne faut pas vous énerver, ce ne sont que des images! dit le Cacatoès en arrêtant la projection.

— Ces images sont d'un réalisme remarquable.

— Ouf! j'avoue que j'ai eu peur, dit Annik. Est-ce qu'on ne pourrait pas visionner un film plus tranquille, par exemple une scène qui se passerait dans un château, avec de beaux messieurs et de belles dames du temps passé?...

La projection reprend. On est dans une majestueuse salle de bal. Les dames poudrées et pomponnées sont debout face aux messieurs portant perruque et culotte de soie. Ils se saluent. Ils avancent deux par deux, la main dans la main. Deux pas en avant, trois en arrière. Ils tournent, saluent, virevoltent, frappent dans leurs mains.

Annik ne peut plus résister. Elle se lève pour aller rejoindre les danseurs.

Marco la retient.

— Voyons, Annik. Ce ne sont pas de vrais danseurs, ce sont des images.

— Mais quelles images! C'est époustouflant!

— Reprenez vos esprits, distingués visiteurs. Aimeriez-vous voir un autre film?

— Puisque nous sommes au pays d'Utopie, vous ne pourriez pas nous montrer un documentaire filmé sur une autre planète? demande Ferdinand.

— Certainement. Voici un documentaire sur la planète Urbania.

Aussitôt, on aperçoit une cité entièrement construite en métal. Des automobiles glissent sur des routes métalliques. Pas un être en vue, pas un animal à l'horizon. On voit soudain l'intérieur d'une maison. Une créature étrange est assise devant un appareil bizarre. Cette créature a le crâne trois fois plus développé que le nôtre. Elle semble absorbée dans un travail. Elle se lève. Sa tunique d'argent brille de mille rayons. Elle regarde Ferdinand.

— Arrêtez! s'écrie celui-ci. Cette créature est en train de m'hypnotiser!

— Cher visiteur, vous voulez que j'arrête la projection?

— Je préfère . . . Je ne voudrais pas tomber sous l'influence de cette créature . . .

— Voyons! Tout ça se passe dans un film.

— C'est pourtant vrai, reconnaît Ferdinand, mais ces images sont tellement réalistes . . .

— Alors, je vous ferai grâce des autres films: la locomotive qui fonce sur les spectateurs, le lion qui attaque, l'avion qui tombe, la bombe qui éclate . . .

— Grand Cacatoès, épargnez-nous, de grâce! supplie Annik.

— À bien y penser, dit Grand Cacatoès, la vie de la ville d'Utopie est encore plus excitante que tous ces films. Je propose donc que l'on poursuive notre tournée d'Utopie. Qu'en pensez-vous, les amis?

Marco et Annik sont entièrement de cet avis.

— À votre service! répond aimablement le Grand Cacatoès. Que diriez-vous de visiter notre entrepôt des machines à tout faire?

— Allons-y!

CHAPITRE 13

L'ENTREPÔT DES MACHINES

— Nous allons utiliser un nouveau mode de transport, déclare le Grand Cacatoès. Suivez-moi.

Il entraîne les trois visiteurs sur un trottoir vert pomme qui borde la rue. Sur un ordre du Grand Cacatoès, le trottoir se met à bouger.

— Un trottoir roulant! Il ne manquait plus que ça, s'écrie Marco.

— C'est amusant! remarque Annik. On devrait en installer sur notre rue . . .

Le trottoir s'arrête en face d'un vaste cube aux murs de métal.

— Entrez, entrez, fait le Grand Cacatoès. C'est dans cet entrepôt que nous rangeons les nombreuses machines que nos robots-inventeurs fabriquent chaque jour.

— Ma foi, s'étonne Marco, je ne vois aucune machine de forme familière. À quoi peuvent bien servir ces drôles de mécaniques?

— Si vous voulez bien me suivre, je vous les ferai voir une à une. Voici d'abord la machine à gratter le dos. Vous est-il arrivé d'avoir le dos qui pique? Si oui, vous apprécierez ce bras mécanique qui se déplace délicatement en un mouvement léger et précis.

— Je peux l'essayer? dit Marco.

Clic, l'appareil se met en marche.

— Oh! que ça fait du bien. C'est tout à fait ce qu'il faut, reconnaît Marco.

— La machine suivante, c'est la machine à danser quand on s'ennuie les jours de pluie.

— Celle-là est pour moi, dit Annik. J'adore danser.

Et elle s'empresse de mettre la machine à l'épreuve.

C'est une espèce de cône en matière souple,

92

avec des bras et des roulettes, et qui s'adapte à tous les mouvements de son partenaire humain. Annik est ravie. Pendant qu'elle termine sa danse, Cacatoès désigne une troisième machine.

— Celle-ci chuchote des mots doux quand on se sent triste et déprimé.

Ferdinand se déclare intéressé par cet appareil, car étant célibataire, il se sent parfois bien seul.

Il coiffe le casque que lui indique l'oiseau.

Aussitôt, il prend un air radieux.

— Oh! Ah! que c'est agréable, s'écrie-t-il. Puis-je commander une machine comme celle-là pour rapporter chez moi?

— Vos désirs sont des ordres, dit le Grand Cacatoès, qui s'empresse d'en prendre note.

Pendant que Ferdinand se sépare avec peine de la machine-à-chuchoter-des-mots-doux, le guide est déjà passé à l'attraction suivante.

— Voici la machine à fabriquer de beaux rêves.

— Je veux l'essayer! dit Annik.

— Moi aussi, insiste Marco.

— Vous n'avez qu'à prendre place sur ces banquettes, dit l'oiseau. Il y a des rêves pour tout le monde.

Aussitôt assis, les enfants ferment les yeux. Une musique étrange se fait entendre.

Annik commence à parler:

— Je vois, dit-elle, un beau cheval blanc volant. Je galope dans le ciel. Je monte sur son dos. Je vole de plus en plus haut. J'arrive sur une autre planète . . .

Marco raconte à son tour:

— Je suis un petit sous-marin. Au fond de l'océan, des poissons de toutes les couleurs viennent frôler mon hublot. Je traverse des forêts de plantes aquatiques aux formes étranges. Une pieuvre géante me dépasse en déroulant ses tentacules. Je me pose sur un banc de corail rose.

— Il faut les réveiller, dit l'oiseau. Autrement, ils poursuivront leurs rêves toute la journée.

94

— Mais comment faire? demande Ferdinand.

— Il suffit de couper le courant.

— Où suis-je? s'enquiert Marco.

— Je me croyais sur une autre planète . . . dit Annik d'une voix endormie.

— Vous êtes revenus dans cette époustouflante ville d'Utopie. Mais c'est presque aussi bien qu'un rêve, répond Ferdinand.

— Venez par ici que je vous montre quelques machines rapidement. Voici la machine à couper les cheveux en quatre, la machine à ouvrir les horizons, la machine à enfoncer les portes ouvertes, la machine à tirer le diable par la queue. Celle-ci est la plus populaire: c'est la machine à lire dans les pensées.

— Hum! Hum! Ces machines me semblent dangereuses. Je préfère ne pas les essayer, dit Ferdinand.

— Libre à vous, distingués visiteurs. Mais laissez-moi vous faire voir une dernière machine qui ne peut manquer de vous intéresser. La machine à voir la vie en rose.

— Comment ça marche? demande Annik.

— Ce sont de simples lunettes. Posez-les sur votre nez.

— Oh! Marco, te voilà transformé en chevalier du Moyen-Âge. Que tu es beau!

— Et toi Annik, tu ressembles à une vedette de cinéma.

— Ferdinand a l'air de l'enchanteur Merlin.

— Moi, dit Annik, je le vois en surhomme.

— Enlevez ces lunettes, mes amis. Je préfère que vous me preniez pour ce que je suis.

— Vous avez là un échantillonnage des innombrables machines que nous inventons chaque jour dans la ville d'Utopie.

— C'est très joli, dit Marco, mais il serait peut-être temps que vous répondiez à notre question principale. Qui a inventé la ville d'Utopie et tout ce qu'il y a dedans?

— Oui, reprend Annik. Qui fait marcher tous ces robots?

— En effet, affirme Ferdinand, il y a sûrement derrière tout cela une intelligence supérieure . . .

— D'accord, conclut le Grand Cacatoès, je crois qu'il est temps de vous ménager une entrevue avec le Grand Maître d'Utopie . . .

CHAPITRE 14

LE MAÎTRE D'UTOPIE

Les trois visiteurs sont conduits dans une vaste salle du Grand Palais. Une sorte de bourdonnement émane du fond de la pièce. Les explorateurs attendent l'arrivée du maître d'Utopie.

— Je me demande de quoi il a l'air, le maître d'Utopie, chuchote Annik.

— Allons, Annik, sois plus discrète. Le maître va sûrement arriver d'une minute à l'autre . . .

— Distingués visiteurs, dit une voix métallique, je vous souhaite la bienvenue. Vous êtes priés de vous asseoir.

Mais les visiteurs ont beau regarder, ils ne voient personne, et de plus, il n'y a aucun siège pour s'asseoir. La situation est embêtante. Mais pas pour longtemps, car trois fauteuils surgissent soudain au fond de la salle. En face, un mur glisse lentement. Des lumières se mettent à clignoter.

La voix métallique reprend.

— Le maître d'Utopie a l'honneur de vous saluer.

— Mais il n'y a personne dans cette salle, murmure Marco. Se peut-il que le maître d'Utopie soit . . .

— Un ordinateur? poursuit Ferdinand. Je m'y attendais un peu . . .

— Distingués visiteurs, le maître d'Utopie est à votre service. Je suis programmé pour répondre à vos questions.

— Ma foi, j'ai tellement de questions que je ne sais pas par où commencer . . . soupire Annik.

— Moi, j'ai une question qui me brûle les lèvres depuis mon arrivée dans cette ville, risque Marco. Dites-moi, maître d'Utopie, y a-t-il des êtres humains dans votre ville?

— La ville d'Utopie, émet l'ordinateur, a été construite entièrement par des robots. Par la suite, on y a introduit des animaux. Vous êtes les premiers êtres humains à pénétrer dans cette ville.

— Vous entendez, les enfants? Nous sommes les découvreurs d'Utopie, les Christophe Colomb de ce Nouveau-Monde, s'écrie Ferdinand, enthousiaste. Je sens qu'on parlera de nous dans les livres d'histoire du monde futur!

— Écoute, Ferdinand, c'est bien excitant d'être des découvreurs, mais il reste une foule de questions à poser. Dites-moi, maître d'Utopie, c'est bien vous, et vous seul qui dirigez cette ville?

— Sans aucun doute! Les robots et les animaux obéissent à mes ordres.

— Mais un ordinateur est programmé par quelqu'un, riposte Marco. Qui vous programme pour les programmer?

— Celui-là porte un nom difficile à prononcer. Dans votre langue, ça pourrait se traduire par Ixygreczède.

— On ne peut pas dire que c'est un nom courant . . .

— C'est peut-être un Russe . . . M. le maître d'Utopie, où habite le savant Ixygreczède?

— Celui qui m'a programmé habite la planète Urbania.

— Urbania! répètent en choeur les trois visiteurs.

— Vous vous rendez compte, les enfants. Nous serions les premiers humains à visiter des installations laissées par des extra-terrestres!

— Mais les gens d'Urbania, pourquoi sont-ils repartis? demande Annik.

— Les Urbaniens sont repartis parce que leur mission était terminée.

— Mission accomplie! En quoi consistait donc cette mission?

— Les Urbaniens sont venus ici pour y construire une ville modèle.

— De plus en plus curieux! Une ville modèle pour des robots et des animaux . . .

— Non, reprend le maître d'Utopie, une ville modèle pour le bonheur de l'humanité.

Marco n'arrive pas à comprendre.

— Vous dites que la ville d'Utopie a été construite pour le bonheur de l'humanité. Pourtant, pas un seul être humain n'y habite.

— La ville d'Utopie sera donnée aux premiers visiteurs humains.

— Nous sommes ces premiers visiteurs humains, fait remarquer Ferdinand. Est-ce à dire que la ville d'Utopie nous appartiendra?

— Si vous le voulez, répond le maître d'Utopie.

— C'est trop beau pour être vrai! dit Annik. Nous serions les maîtres de tous ces robots, de tous ces animaux savants, de toutes ces machines?

Marco poursuit:

— Nous pourrions vivre ici? Inviter nos amis? Donner des fêtes extraordinaires?

— Plus besoin d'étudier, de peiner, de travailler, quelle chance! constate Annik.

— Et quel avancement pour la science! pense tout haut Ferdinand. Nous pourrions démonter les robots pour voir comment ils sont faits. Ah! quel bond en avant pour l'humanité!

104

— Dites-moi, maître d'Utopie, comment pourrons-nous faire obéir les habitants d'Utopie? Nous n'avons jamais dirigé de robots, ni d'animaux savants?

— Pour devenir le maître d'Utopie, illustres visiteurs, il faudra vous soumettre à une séance de conditionnement.

— En quoi consiste cette séance de conditionnement?

— Au-dessus de vos fauteuils, vous pouvez voir des casques de métal.

— Tiens, c'est vrai! Je ne les avais pas remarqués. Ces casques ressemblent aux séchoirs chez le coiffeur.

— Abaissez le casque sur vos têtes. Vos cerveaux humains seront modifiés pour vous rendre capables de diriger la ville d'Utopie.

— De quelle façon nos cerveaux seront-ils modifiés?

— On éliminera vos facultés d'émotions, qui de toute façon, ne vous serviraient plus à rien ici.

— Nos facultés d'émotions? Vous voulez dire notre capacité d'aimer, de rire, de pleurer?

— Certaines de vos autres facultés seront amplifiées, affirme le maître d'Utopie. Vous pourriez calculer, évaluer, raisonner logiquement, programmer et diriger . . .

— Et si nous refusons de nous plier au conditionnement, qu'est-ce qui nous arrivera? demande Ferdinand.

— Dans ce cas, je vous conseillerais de quitter cette ville au plus tôt.

Les trois amis se consultent un instant.

— Moi, dit Marco, je ne laisserai pas un ordinateur changer mon cerveau.

— Moi non plus. Je m'aime comme je suis, déclare Annik.

— Vous avez tout à fait raison, mes enfants. Sans nos facultés d'émotions, nous ne serions plus des êtres humains. Nous serions de véritables robots. Venez, sortons d'ici au plus vite, commande Ferdinand.

C'est au pas de course que tous les trois se pré-cipitent vers la sortie de la ville. Ils arrivent aux murs, franchissent la barrière de cristal, et les voilà dans la campagne.

— Regardez, les enfants! La ville d'Utopie est en train de se désagréger, s'écrie Ferdinand.

En quelques secondes la ville s'est écroulée. Il ne reste plus que des lueurs colorées.

— Adieu, Utopie! Retournons vite chez nous, dit Annik.

Les trois explorateurs se dirigent tristement vers la montagne.

CHAPITRE 15

LE RETOUR

    Depuis une semaine, Annik et Marco sont de retour à la maison. Ferdinand est retourné à son laboratoire pour analyser les roches rapportées d'Utopie.

— Marco, crois-tu qu'on a rêvé? Crois-tu que la ville d'Utopie a vraiment existé?

— J'en suis absolument sûr! Mais si on raconte notre aventure à nos amis du Club des curieux, je suis certain qu'ils ne nous croiront pas.

— Nous n'avons pas de preuves. La ville s'est détruite sous nos yeux. Il ne restait que quelques pierres.

Juste au moment où Marco et Annik sont en train de discuter ces graves questions, on sonne à la porte. C'est Ferdinand, qui s'excuse d'arriver si tard.

— Je ne pouvais attendre pour vous communiquer la nouvelle. L'oncle Horace m'a envoyé ce matin une longue lettre.

— Une lettre d'oncle Horace! Justement, tante Amélie se plaignait de ne pas avoir de nouvelles. Qu'est-ce qu'il raconte?

— Je vais vous en lire des extraits. Permettez:

"Chers collaborateurs,

Le récit de vos aventures au pays d'Utopie ne m'a pas du tout étonné. Si je vous avais mis sur cette piste, c'est que j'avais de bonnes raisons de croire qu'il se passait dans cette région des choses sortant de l'ordinaire. J'ai hâte de recevoir le résultat de l'analyse des roches rapportées d'Utopie.

"Quant à moi, vous pensez bien que mon histoire de machine à fabriquer les boules de neige n'était qu'un prétexte à mon séjour dans le Grand Nord.

Annik interrompt la lecture.

— Il me semblait bien que cette histoire ne tenait pas debout. Mais poursuivez, Ferdinand.

"En réalité, je suis venu pour explorer d'étranges installations dont j'avais appris l'existence à la suite de messages venant de la planète Urbania. J'avais cru comprendre, en décodant ces messages, que les Urbaniens avaient construit deux villes expérimentales: l'une dans le Grand Nord, l'autre dans les montagnes du Nouveau-Québec. J'ai donc décidé de retrouver moi-même la ville située au Pôle Nord et de vous mettre, avec mes neveux Marco et Annik, sur la piste de la deuxième ville. Je suis heureux d'apprendre que votre expédition a été couronnée de succès.

111

— Si on peut appeler ça un succès — une ville qui disparaît . . .

— Marco, tu interviens toujours. Laisse Ferdinand continuer la lettre.

"Quant à moi, j'ai découvert une ville fort intéressante, entièrement bâtie sous la glace. Une vraie ville, avec des rues, des maisons, des véhicules et des robots. Le seul problème, c'est que la température y est tellement basse qu'il faut se promener en combinaisons spatiales. Impossible de penser à l'installation d'un chauffage, car il ferait fondre la calotte de glace qui sert de dôme à cette ville étonnante. Je ne crois pas qu'aucun être humain puisse jamais y vivre.

Marco met encore son grain de sel.

— Décidément, dit-il, les Urbaniens ne connaissent pas les humains. Au pays d'Utopie, ils proposaient un monde sans émotions, et à l'oncle Horace, un monde sans chaleur . . .

— Puis-je terminer ma lettre? demande Ferdinand.

"Toutefois, cette ville représente un intérêt scientifique considérable. La semaine prochaine, je rentre donc à Montréal pour organiser une expédition vers la ville de Frigorie — c'est le nom que je lui ai donné. J'espère, mon cher Beauparleur, que vous pourrez faire partie du groupe. Ainsi vous pourriez comparer les villes de Frigorie et d'Utopie.

— C'est ça. Nous allons nous morfondre ici comme au début des vacances ...

— Laissez-moi finir.

"Il est bien entendu que mes neveux Annik et Marco seront du voyage. Je crois qu'ils se sont montrés à la hauteur de la situation au Nouveau-Québec."

Marco et Annik sautent de joie.

— Moi, cette fois, j'apporte mon appareil-photo. Parole de Marco! Comme ça, j'aurai des images à présenter au Club des curieux.

— Et moi, j'apporte un magnétophone.

Marco, Annik et Ferdinand commencent déjà les préparatifs pour le voyage vers Frigorie. Qui sait? Cette fois, ils rapporteront peut-être des preuves tangibles de leurs découvertes.

TABLE DES MATIÈRES

Chère lectrice,

Cher lecteur,

Bienvenue dans le club des enthousiastes de la collection **Pour lire avec toi**. Si tu as aimé l'histoire que tu viens de lire, tu auras certainement envie d'en découvrir d'autres. Pour te mettre en appétit, voici des extraits de quelques romans de la même collection.

Je te rappelle que le nombre de petits coeurs augmente avec la difficulté du texte.

♥   : facile

♥♥   : moyen

♥♥♥ : plus difficile

Grâce aux petits coeurs, quel que soit ton âge, tu pourras choisir tes livres selon tes goûts et tes aptitudes à la lecture.

Les auteurs et les illustrateurs de la collection **Pour lire avec toi** seraient heureux de connaître tes opinions concernant leurs histoires et leurs dessins. Écris-nous à l'adresse au bas de la page.

Bonne lecture!

La directrice de la collection,

Henriette Major

Henriette Major

Éditions Héritage Inc.
300, avenue Arran
Saint-Lambert (Québec)
J4R 1K5

La Sorcière
et la princesse ♥♥

par Henriette Major

Sophie à l'école

7 octobre

Cette année, je ne vais pas à mon ancienne école parce que j'ai déménagé. Je vais à ma nouvelle école. Je l'aime moins que mon ancienne parce que ma nouvelle, elle est trop grande et il y a trop de monde dedans.

Comme de raison, je n'ai pas mon ancienne maîtresse de l'an dernier, Bernadette qu'elle s'appelait. Si j'allais à mon ancienne école, je n'aurais pas Bernadette comme maîtresse non plus, vu que j'ai monté de classe, mais je pourrais lui parler pendant les récréations et aller la voir après la classe et même lui porter ses livres jusqu'à son auto. Mais je ne peux même pas l'apercevoir de loin parce que mon ancienne école est dans un autre quartier.

Cette année, ma maîtresse d'école, c'est un maître. Il s'appelle Hervé. Il a des lunettes et il est grand et maigre. Ma mère dit :

— Dis plutôt qu'il est mince : c'est plus poli.

Il est maigre pareil. Derrière ses lunettes, ses yeux sont tout flous. Ça fait que tu n'es jamais sûre si c'est bien toi qu'il regarde. Il n'a pas des beaux yeux verts comme Bernadette : il a des yeux gris sale. Il n'a pas des beaux cheveux roux et fous comme ceux de Bernadette. Il a des cheveux châtains tout raides. Hervé, il nous appelle «les amis», même si on n'est pas ses amis. Bernadette, elle nous appelait «les élèves», mais on était ses amis. Peut-être que je pourrais lui téléphoner, à Bernadette... mais je n'ai pas son numéro de téléphone. Peut-être que je pourrais lui écrire... mais j'ai peur de faire des fautes.

Ce matin, quand la cloche de l'école a sonné, je me suis mise en rang avec ma classe. Je voulais faire comprendre à Lucie et à Éric dans l'autre rangée qu'il fallait se retrouver à la récréation : alors, j'ai fait le signe de reconnaissance de la bande.

— Sophie ! Qu'est-ce que c'est que ces grimaces ? a dit Hervé. Va te placer à la queue.

J'ai essayé de lui expliquer que c'était pas des grimaces, mais il ne m'a pas laissée parler. Bernadette, elle, elle m'aurait laissée parler.

Sophie et le monstre aux grands pieds ♥♥

par Henriette Major

CHAPITRE 7
Les traces du monstre

Le lundi matin, j'avais rendez-vous avec Antoine sur les pentes du Mont-Royal pour préparer la course au trésor. J'ai invité ma grand-mère à nous accompagner. Elle a déclaré :

— J'aurais bien aimé te donner un coup de main, mais Adrien doit venir réparer la machine à laver ce matin. Je ne peux pas m'absenter.

Je suis donc partie seule pour rejoindre Antoine. Il avait neigé durant la nuit. Antoine et moi, on était contents, on pourrait creuser dans la neige pour y placer nos indices. On aurait pu les cacher le long de la route déblayée qui mène au sommet, mais c'était trop facile. On a plutôt décidé de suivre la piste de ski de fond et de raquette qui passe à travers les arbres. On n'avançait pas très vite car, à certains endroits, on enfonçait dans la neige jusqu'aux genoux.

Au début, le terrain était assez plat. On suivait de près les marques de skis et de raquettes. On avait déjà caché deux indices quand tout à coup, Antoine s'est écrié :

— Hé ! Sophie ! Viens ici ! Je vois quelque chose de bizarre !

Je me suis approchée et j'ai aperçu des traces ovales ; elles avaient à peu près la forme d'un pied, d'un très grand pied avec des petits creux à la place des orteils et du talon. Antoine et moi, on a d'abord été muets de surprise.

— Qui a bien pu laisser des traces pareilles ?... a murmuré Antoine. Ça ne ressemble à rien que je connais.

— Je sais! ai-je affirmé, très excitée: c'est l'Abominable Homme des Neiges!

— Qu'est-ce que tu racontes? a répondu Antoine. Comment un homme peut-il être beau et minable en même temps?

— Tu chercheras le mot abominable au dictionnaire, espèce d'abominable ignorant. L'Abominable Homme des Neiges, c'est un géant poilu qui vit dans les montagnes et qui laisse des traces dans la neige avec ses grands pieds nus. J'ai lu ça dans un livre sur les monstres.

Le pays
du papier peint ♥♥

par *Vincent Lauzon*

CHAPITRE 3
Le Chevalier solitaire

Ce soir-là, au milieu d'une grande clairière bordée de cèdres parfumés, Marie-Aude mangeait des guimauves grillées en compagnie de la licorne zébrée et du dragon aux yeux dorés, celui-là même qui l'avait tant effrayée lors de sa première visite. Ce dragon n'était pas n'importe quel dragon, comme il se plaisait à le faire remarquer le plus souvent possible : il venait d'une très vieille, très grande et très noble famille de dragons et il en était plutôt fier. Il s'appelait Isidore de la Flammèche.

Isidore était couché nonchalamment dans les fougères et à chaque expiration, ses narines laissaient échapper d'écarlates éclats enflammés qui montaient en crépitant dans le ciel nocturne. Marie-Aude et la licorne n'avaient qu'à tenir leurs guimauves au-dessus du nez du dragon et, en quelques secondes, les friandises devenaient délicieusement dorées. La petite fille utilisait une longue branche de chêne alors que la licorne installait carrément ses guimauves au bout de sa corne. L'air doux et léger ainsi que la lumière tamisée de la lune de papier peint rendaient l'atmosphère merveilleusement calme et agréable.

— Hé, Marie-Aude, dit Isidore en bâillant un peu, cela fait trois guimauves que tu manges sans m'en donner une seule. C'est pas juste : c'est tout de même moi qui les prépare, vos guimauves, non ?

La petite fille se mit à rire et donna une guimauve au dragon bougonneur. Isidore l'engloutit d'une seule bouchée et se lécha les babines, découvrant un instant ses crocs féroces. Marie-Aude frissonna. Elle était bien contente qu'Isidore soit son copain : avec des dents pareilles, elle n'aurait pas voulu l'avoir pour ennemi.

— Dis donc, Isidore, demanda-t-elle entre deux bouchées, je n'ai pas encore rencontré ton copain le Chevalier. Il m'intrigue. Crois-tu que l'on pourrait lui rendre visite ce soir ?

Le dragon parut réfléchir un moment.

— Bien sûr, déclara-t-il enfin. Cela te plairait, licorne ?

La licorne hennit et s'ébroua.

— Moi, je vous suis, dit-elle avec une trace de tristesse dans la voix. Vous êtes mes seuls amis… les autres licornes ne m'ont pas encore adressé la parole à cause de… de… oh, vous savez bien…

La chasse au trésor ♥♥

par Mario Audet

Le troisième message

La montée en funiculaire se fait sans histoires. Arrivées sur la terrasse Dufferin, Isabelle et Catherine relisent la dernière partie du message :

Là, un ange jouant de la trompette
Vous invitera à monter dans sa barque.

Il leur est très facile de repérer l'ange du message. Il se trouve au pied de la statue de Samuel de Champlain qui tourne le dos à la sortie du funiculaire. L'ange trompettiste se tient debout dans sa barque de bronze. Catherine escalade le socle de la statue jusqu'à la hauteur de la barque. Là, elle découvre un autre message qu'elle exhibe victorieusement. D'un seul bond, elle saute en bas, anxieuse de connaître la suite de l'aventure. Le message dit :

Bravo, vous êtes très habiles ! Cependant, vous n'êtes pas au bout de vos peines. Il vous reste un autre message à découvrir avant de franchir la prochaine étape, la plus décisive.

Rendez-vous au séminaire de Québec en passant par la rue où les murs sont décorés de peintures. C'est le plus beau et le plus court chemin.

Là, vous entrerez par la porte qui s'ouvre sur l'endroit rempli d'objets du passé appartenant aux Beaux-Arts, aux Sciences et aux Lettres.

Montez 65 marches et allez rendre visite à celui qui dort depuis plus de 3 000 ans. À vingt-cinq pas de là, vous trouverez trois statues d'or. Elles ont un message pour vous, caché derrière leur autel.

Mais attention! MÉFIEZ-VOUS DE L'OEIL SONORE.

Ouf! voilà un message qui en dit bien long et qui, en même temps, crée bien du mystère. Le premier réflexe des deux gamines est de demander de l'aide à Mario, mais rapidement elles jugent que ça ne vaut pas la peine de perdre de précieux points de chance. Elles connaissent bien les environs. Elles se dirigent donc allègrement vers la rue du Trésor, celle où les murs des maisons sont tapissés d'oeuvres d'art.

Sans ralentir leur allure, elles regardent les dessins et les tableaux qui font la convoitise des touristes en quête d'un élégant souvenir du Vieux-Québec. Bientôt, le trio se retrouve face à la basilique Notre-Dame adossée au séminaire de Québec.

Le petit chien perdu ♥

par Jacques Trudel

CHAPITRE 3
À la recherche de Polux

Après une bonne nuit de sommeil, Yanik et Stéphane se lèvent très tôt : leur enquête ne peut attendre. Ils avalent rapidement leur petit déjeuner. Leur mère les regarde d'un air étonné.

— Vous êtes bien pressés ce matin ?

— On a un travail important à faire ! répond Yanik.

— Un travail ?

— Oui, un travail de détective !

— Et d'assistant-détective ! ajoute Stéphane.

— Ah oui ?

— Il faut retrouver le chien d'Éveline Latour, explique Yanik. Il a disparu.

— Je vous souhaite bonne chance !

Yanik termine son repas. Il va ensuite chercher son sac à dos et y glisse ses instruments de travail : un carnet de notes, un crayon et une petite loupe. Ça peut toujours servir !

— Tu viens, Stéphane ? ordonne-t-il.

Stéphane court prendre son sac, presque identique. Il le bourre de provisions : trois pommes, une banane et, en cas d'urgence, un petit gâteau au caramel. Yanik et Séphane sont enfin prêts à commencer leur enquête.

— Où allons-nous ? demande ce dernier.

La veille, avant de s'endormir, Yanik a préparé un plan. La première chose à faire est d'aller questionner Éveline Latour. Il faut savoir exactement comment son chien a disparu.

— On va chez Éveline.

Stéphane s'inquiète un peu.

— Elle ne nous a pas demandé de retrouver Polux…

Yanik marche d'un pas rapide.

— Elle sera contente qu'on s'en occupe. Après tout, on est les meilleurs détectives du quartier!

Stéphane est rassuré.

— C'est vrai. On est les meilleurs. On est aussi les seuls, hein, Yanik?

— Ouais…

— En tout cas, on a une cabane avec une affiche.

Yanik marche toujours aussi vite. Il écoute distraitement son assistant.

— Et puis, on a nos casquettes. Elle sera bien obligée de nous prendre au sérieux!

Stéphane trouve que Yanik a parfaitement raison.

— Je suis content d'être ton assistant, Yanik!

Yanik s'arrête net.

— Appelle-moi «inspecteur»! Inspecteur Yanik.

Les mémoires
d'une sorcière ♥♥♥

par Suzanne Julien

CHAPITRE 1
La naissance d'une sorcière

Cette nuit-là, il pleuvait. Il pleuvait très, très fort. On aurait dit que de méchants petits elfes s'amusaient à lancer des cailloux sur les toits des maisons. Le bruit assourdissant de la pluie avait fait fuir tous les êtres vivants, hommes ou bêtes, au fond de leur demeure.

De loin, on pouvait entendre le tonnerre et apercevoir les lueurs des éclairs. L'orage se rapprochait. Quel beau temps, il faisait cette nuit-là! C'était vraiment un temps idéal pour l'arrivée d'une nouvelle petite sorcière.

— C'est de bon augure, déclara ma grand-tante, la méchante fée Esméralda.

Elle était ravie de pouvoir assister à ma naissance. Mon père, l'enchanteur Malin, récitait des incantations pour qu'en naissant je possède toutes les qualités d'une sorcière : méchante, laide et égoïste. Ma mère, la fée Malice, avait surtout hâte que ce soit fini...

J'accomplis alors ma première mauvaise action : faire attendre ma mère, mon père et ma grand-tante toute la nuit. Au moment où, lassés d'attendre, ils s'installaient pour dormir, je me décidai à naître.

Je pris tout le monde par surprise : Esméralda préparait son lit, mon père rangeait ses grimoires en bâillant et ma mère ronflait déjà! Je poussai alors d'horribles cris, étouffés par le grondement du tonnerre. Longtemps, j'ai cru que c'était moi qui avais causé ce tintamarre. Mais en tentant de recommencer par la suite, je dus me rendre à l'évidence : je n'étais pour rien dans le fracas de l'orage.

Mon arrivée passa donc inaperçue. Je fis alors comme tous les bébés naissants : je pleurai et hurlai sans arrêt. Et juste au moment où j'allais me pâmer, tout le monde se précipita sur moi.

— Il faut l'emmailloter, disait ma mère.

— Il faut lui réciter des formules magiques, lançait mon père.

— Je veux lui faire cadeau de mes incantations les plus maléfiques, s'exclamait ma grand-tante.

À vouloir me caresser tous en même temps, ils me brassaient, me tiraillaient, m'écartelaient. Je compris alors que je n'étais pas tombée dans une famille ordinaire. Leurs touchantes marques d'affection durèrent jusqu'au petit matin. Quand le soleil se leva, mon père déclara :

— Il faut lui choisir un nom.

Le monstre
de poussière ♥

par Richard Riewer, adaptation Henriette Major

CHAPITRE 1
Un monstre sous le lit

C'est l'heure de se coucher. Laurent jette un coup d'oeil prudent dans sa chambre. Rien ne bouge. Pas un bruit. Il se glisse jusqu'à son lit tout propre aux couvertures bien tirées : Ted l'ourson, les yeux brillants, est assis sur l'oreiller, prêt à se coucher lui aussi. Laurent met son pyjama et s'assoit près de Ted pour l'embrasser et lui souhaiter bonne nuit. Tout à coup, il entend un bruit étrange venant de dessous le lit, comme le murmure des feuilles dans le vent. Le bruissement devient de plus en plus fort. En même temps, des flocons de poussière roulent sur le parquet. Laurent se penche et soulève doucement le couvre-lit. Il aperçoit deux yeux pâles qui brillent dans le noir.

— Hum... excuse-moi, je n'ai fait qu'éternuer, dit une voix enrouée sous le lit. Je ne voulais pas te déranger...

— Il y a un monstre là sous mon lit ! murmure Laurent, tout inquiet. Que vais-je faire ?

— J'espère que je ne t'ai pas fait peur, dit le monstre.

« Il a l'air gentil », pense Laurent.

« J'aimerais bien faire la connaissance de ce garçon », se dit le monstre.

Après un moment de réflexion, Laurent décide de prendre l'initiative.

— Tu devrais sortir de là, chuchote-t-il. N'aie pas peur, montre-toi. Je veux seulement te parler...

— Eh bien, puisque tu insistes, je vais venir, réplique le monstre en adoucissant la voix.

Il sort de sa cachette en rampant. Aussitôt, une épaisse poussière se répand dans la pièce, dansant dans la pâle lumière de la lune. La poussière est si épaisse que Laurent et le monstre ont peine à se voir.

— Qui es-tu? demande Laurent.

— Je suis un monstre de poussière, répond le monstre.

«Voilà qui est encore plus drôle qu'un combat d'oreillers», songe Laurent.

— Ted semble avoir disparu, dit-il à haute voix.

— Peut-être que je lui fais peur, remarque le monstre de poussière.

— Les oursons en peluche n'ont jamais peur et ils ne sont jamais tristes, assure Laurent. Ils sourient tout le temps.

ACHEVÉ D'IMPRIMER
EN SEPTEMBRE 1988
SUR LES PRESSES DE
PAYETTE & SIMMS INC.
À SAINT-LAMBERT, P.Q.